COLLECTI

Annie Ernaux

Hôtel Casanova

et autres textes brefs

Gallimard

Ces textes sont extraits du volume *Écrire la vie*
(Quarto, Éditions Gallimard).

Annie Ernaux est née à Lillebonne et elle a passé toute sa jeunesse à Yvetot, en Normandie. Agrégée de lettres modernes, elle a enseigné à Annecy, Pontoise et pour le Centre national d'enseignement à distance. Elle vit dans le Val-d'Oise, à Cergy. En 2017, Annie Ernaux a reçu le prix Marguerite Yourcenar pour l'ensemble de son œuvre.

Lisez ou relisez les livres d'Annie Ernaux en Folio :

HÔTEL CASANOVA

Écrit en 1998, publié dans un journal féminin italien

J'ai retrouvé une lettre de P. dans un dossier de factures datant des années quatre-vingt. Une grande feuille blanche pliée en quatre, avec des taches de sperme qui avaient jauni et durci le papier, lui donnant une contexture transparente et granuleuse. Il y avait seulement écrit, en haut, à droite, *Paris, 11 mai 1984, 23 heures 20, vendredi.* C'est tout ce qu'il me reste de cet homme.

J'ai rencontré P., un publiciste, quelques semaines après l'admission de ma mère à l'hôpital pour des troubles psychiques profonds. Son comportement se dégradait de jour en jour et elle était devenue brusquement une vieille femme. Je me demandais comment j'allais pouvoir continuer de supporter cela. Quand je sortais de l'hôpital, j'étais dans une sorte de stupeur et je mettais à fond des cassettes ou la radio. C'était l'époque de Scorpions et de *Still Loving You.*

P. m'a appelée pour je ne sais plus quel projet. Sa voix au téléphone m'a troublée, j'ai eu
envie de le voir. En l'apercevant déjà installé à la
table du restaurant où nous avions rendez-vous,
rue de Rome, il m'a semblé quelconque, l'air
fatigué, sans doute proche de la cinquantaine.
J'ai pensé que j'avais eu tort d'accepter ce déjeuner, jamais je ne ferais l'amour avec ce type,
malgré le désir d'homme que j'avais alors. Même
si sa voix et sa conversation à la fois agressive et
brillante me plaisaient, en le quittant j'étais déci-
dée à ne plus le revoir de ma vie. Mais la nuit
qui a suivi, avec étonnement, j'ai éprouvé un
violent désir de me faire jouir en pensant à lui.

Je n'ai donc pas refusé l'invitation qu'il m'a
faite au téléphone, quelques jours après, d'aller
ensemble à l'exposition Matta, au Centre Beau-
bourg. Comme cela m'est souvent arrivé lorsque
je commence à avoir du désir pour un homme,
j'avais envie de faire l'amour avec P. au plus vite,
afin d'en finir avec une attente qui empêche de
penser à autre chose et retrouver ainsi la tran-
quillité.

Le jour prévu, nous avons déjeuné dans le restaurant de la rue de Rome, regardé l'exposition
Matta, rien de plus. Nous nous sommes seulement embrassés dans le taxi me ramenant à la gare

Saint-Lazare. Dans le train de banlieue, je pensais avec colère et découragement que je devrais encore attendre, encore revoir plusieurs fois ma mère malade et pleurer en entendant ses propos déments, avant de, selon les mots que j'emploie dans mon for intérieur, m'envoyer en l'air.

Durant la semaine qui a suivi, P. s'est ingénié à rendre mon désir insupportable par des appels répétés, où il m'évoquait son propre désir. J'ai reçu sa proposition de faire l'amour un midi, dans un hôtel du quartier de l'Opéra – l'heure et le lieu convenant à la fois à ses obligations de travail et d'homme marié –, comme une délivrance.

Après un déjeuner silencieux, presque tendu, nous avons pris un taxi qui nous a arrêtés dans une petite rue animée située entre la rue de la Paix et l'avenue de l'Opéra. L'hôtel où nous sommes entrés affichait « complet » sur une pancarte suspendue dans le hall. Un homme a surgi, à qui P. a parlé discrètement tandis que je me tenais en retrait. L'homme nous a fait signe de monter dans les étages. Au premier, dans le couloir sombre, une femme d'âge mûr est apparue et j'ai vu que P. lui donnait de l'argent. Elle a ouvert la porte d'une chambre et s'est retirée silencieusement. C'était une chambre sans fenêtres, contiguë à un petit salon donnant sur la rue. Le lit était couvert d'une fausse fourrure et entouré de miroirs. Je me souviens que nous nous sommes retrouvés nus en moins d'une minute et qu'il m'a fait jouir avec une douceur et un savoir-faire qui n'ont jamais été égalés pour moi depuis, lors d'une première fois. Au moment de partir, la femme que j'ai vue dans la glace, avec des yeux brillants, ne me paraissait pas être moi. J'ai touché mes cheveux, une mèche était humide de sperme. Nous étions restés à peine une heure dans cette chambre.

Après, je n'ai eu qu'une envie, rentrer vite chez moi. Dans le train de banlieue, je sentais la mèche, maintenant sèche, collée et raidie, frôler ma joue. Je voulais oublier cet après-midi-là, cet homme qui m'avait emmenée dans ce qui était manifestement un hôtel de passe, au mieux de rendez-vous, où je le soupçonnais d'être déjà allé avec des prostituées. Dans mon état de fatigue et d'assouvissement, j'étais sûre de ne plus jamais désirer faire l'amour avec lui. Le soir même, je ne voyais plus pourquoi il m'aurait fallu le quitter, je n'avais qu'une envie, jouir de nouveau avec lui.

Le printemps de cette année-là, pendant que la maladie de ma mère s'aggravait inexorablement, j'ai fait l'amour comme une folle avec

P. dans l'hôtel où nous étions allés la première fois, l'hôtel Casanova. C'était un lieu feutré où, malgré les allées et venues – on entendait de légers bruits de portes –, l'on ne croisait jamais personne. Toutes les chambres étaient sombres, toujours avec des glaces, parfois un miroir sans tain masqué par un rideau à la tête du lit. Ne pouvoir rester qu'une heure – la durée que payait P. – donnait de l'avidité à nos gestes et nos étreintes. L'endroit lui-même, où tout signifiait le sexe de passage, qu'il soit tarifé ou non, incitait à la démesure, aux paroles les plus obscènes – qui, ensuite, me revenaient en flashes –, au simulacre de la prostitution.

Dans ces chambres, il m'arrivait de penser à ma mère. Il me semble que j'avais besoin de jouir pour supporter l'image de son corps rétréci, de ses sous-vêtements souillés. Qu'il me fallait aller le plus loin possible dans l'épuisement du plaisir, dans une déréliction de sperme et de sueur pour effacer – ou peut-être atteindre – sa déréliction à elle. Obscurément, la chambre du Casanova et la sienne à l'hôpital se rejoignaient. « Baiser à en crever », cette phrase a été on ne peut plus vraie pour moi ce printemps-là. Et qu'il me soit possible de le faire m'apparaissait comme une chance, presque une grâce.

Avant l'heure de notre rendez-vous, quand j'étais en avance, j'allais me promener dans l'un des grands magasins du boulevard Haussmann, le *Printemps* ou les *Galeries Lafayette*. Ici, à toute heure du jour, il y a des femmes qui brûlent sous leur jupe et font des achats comme si de rien n'était : j'étais de celles-là.

Après la séance à l'hôtel, nous marchions vers la gare Saint-Lazare. Le printemps était précoce et chaud. J'étais dans une torpeur douce d'où était abolie toute pensée de passé ou d'avenir, en dehors de la nécessité de prendre le train de banlieue pour rentrer. Si P. avait un peu plus de temps, nous allions dans une galerie de peinture ou un musée. Dans les salles désertes, nous nous caressions imprudemment. En fin d'après-midi, P. me téléphonait de son bureau, me rappelant ce que nous avions fait l'après-midi, proposant un autre scénario pour la prochaine fois où nous irions, comme il disait, « saluer Casanova ». Il possédait au plus haut point cette forme d'imagination raffinée qui fait tant défaut aux films X et à *Penthouse*.

Je ne me posais pas la question de savoir si j'aimais P. Simplement, rien n'aurait pu m'empêcher d'aller faire l'amour avec lui à l'hôtel Casanova. Il refusait, lui, toute illusion, disant

« tu aimes ma queue, rien d'autre ». Est-ce que désirer le sexe d'un homme, et de lui seul, n'est pas déjà beaucoup ?

J'avais cessé de me révolter devant l'état de ma mère. Quand j'allais la voir à l'hôpital, je lui caressais les cheveux, les mains, je n'éprouvais plus de répugnance envers son corps.

Un après-midi de la mi-juin, nous franchissions le seuil de l'hôtel quand l'homme habituellement en faction s'est précipité vers nous avec de grands gestes de dénégation en criant que c'était complet. Peut-être une descente de police était-elle en cours, ou venait d'avoir lieu. Nous avons pris un taxi pour le cimetière du Père-Lachaise, aux sentiers ombreux. Mais dans ce lieu à découvert, avec des arbres et des chants d'oiseaux, nous étions désemparés. Nous n'avons fait que nous caresser furtivement. Sous l'effet de la chaleur, le visage de P. était rouge. Comme la première fois, je lui ai trouvé l'air fatigué, plus vieux que son âge.

Une autre tentative au Casanova, quelques jours plus tard, a eu le même résultat. P. n'a pas cherché un autre hôtel et je ne le désirais pas non plus. C'était à l'hôtel Casanova, pendant un printemps chaud et le début de la maladie de ma mère, que notre histoire s'était construite et déposée, de jouissance en jouissance.

Par la suite, nous nous sommes revus de loin en loin, chez moi en banlieue, quand il disposait de quelques heures lui permettant de prendre le train. Il venait avec réticence, repartait vite, semblait mal à l'aise dans mon appartement. Je l'attendais sans désir et sans imagination. Quelque chose s'était dégrisé et normalisé. Une fois, je me suis demandé « qu'est-ce qu'il fait là ? ». Je ne sais plus quand nous avons cessé de nous voir définitivement.

Je ne suis jamais repassée dans la rue de l'hôtel, pourtant située en plein cœur du quartier de l'Opéra, mais dépourvue de magasins. Peut-être avait-il raison de dire que je n'aimais que son sexe puisque je ne suis pas capable de me rappeler autre chose que cela, les heures passées avec lui à l'hôtel Casanova. Mais je sais qu'à cause de cet homme – que j'ai aperçu de loin un jour sur le quai de la station Opéra, il avait les cheveux blancs – j'ai ressenti tout l'infini et l'énigmatique de l'amour physique, sa dimension de *compassion*. Et dans chaque geste, dans chaque étreinte ensuite, il y a eu quelque chose de lui et de l'hôtel Casanova, comme une substance invisible unissant des hommes et des femmes qui ne se rencontreront jamais.

HISTOIRES

Écrit en août 1984, publié dans la revue *Autrement*, n° 69

La rentrée de Pâques a eu lieu fin avril cette année-là. Le soleil surchauffait déjà les classes, et, à onze heures et demie, on chantait de toutes nos forces *Regina cœli laetare alleluia*, fiévreuses de dégringoler l'escalier vers le grand air. On a pu remettre des robes d'été et rejouer au ballon prisonnier, à la marelle. Bientôt ce serait le mois de Marie, la dizaine de chapelet récitée au-dehors, dans la grotte de feuillage, devant la statue de la Vierge. Une petite fête avant de monter travailler.

La rentrée de Pâques était le moment souvent choisi par les familles pour apprivoiser les petites filles avec l'école, en les mettant, l'après-midi, dans la classe enfantine de Mlle Goudié. Les mères qui travaillaient, ou qui avaient trop d'enfants dans leurs jambes pour conduire elles-mêmes leur petite à l'institution, demandaient ce service à une grande du quartier. Parfois à

plusieurs grandes, mais il valait mieux une seule.
Les filles entre elles rient, chahutent, un accident
est si vite arrivé.

Marie-Paule, l'aînée de quatre enfants, avait
cinq ans. Quand sa mère me l'a amenée dans
la cuisine vers une heure, elle portait, malgré le
beau temps, un manteau brun raglan qui m'a
rappelé celui que j'avais traîné plusieurs années,
choisi très grand pour faire de l'usage. Elle avait
des cheveux blonds et plats, coupés au carré,
avec une pince sur le côté, et tenait fermement
un cartable miniature. Je l'ai prise par la main
et nous sommes parties à l'école sous les regards
approbateurs des parents. Mon père paraissait
fier que je sois à mon tour une petite fille res-
ponsable. Car une grande du brevet, la fille d'un
garagiste, s'était chargée de moi à mes débuts.
J'arrivais à la hauteur de la serviette bourrée
qu'elle maintenait sous son aisselle. Le soir, elle
revenait en compagnie d'une autre grande et
elles discutaient à mi-voix avec des rires. Mon
supplice avait duré jusqu'à la distribution des
prix. L'année d'après, le garagiste ayant vendu
son fonds, mes parents s'étaient relayés pour me
conduire à l'institution.

Je n'étais qu'en septième, Marie-Paule n'aurait
pas dû avoir peur de moi. Elle marchait toute
droite. En baissant les yeux, je voyais la raie, qui
séparait sa chevelure assombrie par des croûtes

de lait. Je lui ai posé des tas de questions. Elle se contentait de secouer la tête, oui, non, en continuant de regarder devant elle, droite et serrée. « Tu as mangé ta langue. » À l'école, je me suis dépêchée de la remettre à Mlle Goudié et j'ai filé au ballon prisonnier.

Quand je l'ai reprise le soir, elle attendait sur le banc du préau au milieu des autres petites, la main sur son cartable debout sur ses genoux. Elle est descendue à toute vitesse, me tendant la main libre avec confiance. Je voulais savoir ce qu'elle avait fait en classe, elle n'avait pas l'air de se rappeler. Des dessins. Sa mère s'est inquiétée de savoir si elle m'écoutait bien. Il n'y avait rien à redire.

Elle arrivait à l'heure des informations avec son manteau boutonné, son cartable. Ma mère lui offrait une pomme, des gaufrettes, ce qu'il restait du dessert. Elle remerciait en ajoutant « madame » avec conviction. « Comme elle est bien élevée », s'émerveillait ma mère. Parce que la famille de Marie-Paule n'était pas du « genre à s'en faire », et dépensait toujours plus qu'elle avait, exactement l'inverse de chez nous.

On prenait la rue de la République à l'aller, pour rejoindre une copine de ma classe les derniers cent mètres, et la rue Roger-Salengro au retour. Le mois de Marie a commencé. La voix fluette de la Supérieure récitait posément Je vous

salue Marie et celles de toutes les élèves répon-
daient en rafale Sainte Marie mère de Dieu.
Parfois des rires de filles qui se pinçaient ou se
chatouillaient. La classe enfantine n'avait pas
droit à cette distraction. À une heure et demie,
j'abandonnais Marie-Paule dans la cour et ne me
préoccupais plus d'elle jusqu'à la fin de l'école.

La rue Roger-Salengro était tranquille, presque
déserte, bordée par des murs d'entrepôts et des
dos aveugles de maisons dont la façade s'ouvrait sur la rue parallèle, rue de la République.
Il n'y avait qu'un café, qui venait d'être fermé
à cause d'une « vilaine affaire de mœurs » et un
cabinet de dentiste. Marie-Paule exprimait son
plaisir de rentrer par un trottinement décidé.
Elle ne parlait guère, même en la tourmentant
un peu. Ce n'était pas une compagnie amusante
et elle m'empêchait de rêver comme j'en avais
l'habitude en revenant de l'école.

Je ne sais pas comment, ni quel jour, tout
a commencé. Mais je me rappelle l'endroit :
devant le café dont les fenêtres étaient barbouil-
lées d'un produit blanc, qui rendait l'intérieur
invisible. J'ai peut-être changé de voix, comme
la maîtresse, au moment où je me suis lancée.
À la différence de la maîtresse, je n'ai pas dit
que j'allais raconter des histoires. L'intéressant,
c'était que Marie-Paule croie tout ce que je
dirais. Le café désaffecté m'a inspiré la présence

d'une jeune fille mourant de faim à l'intérieur, enfermée là par des bandits et qui pleurait sans cesse. C'était la première fois que je faisais sortir tout haut mes rêves, j'étais excitée. Marie-Paule m'a suivie aussitôt comme si elle n'attendait que cela. Elle posait même un peu trop de questions, pourquoi ci et ça, continuellement.

Le plaisir, c'était qu'elle croyait tout. Il suffisait de lui montrer des choses dans la rue, des gens qu'on croisait, et d'inventer ensuite. Ce moyen-là s'était imposé naturellement. Je m'amusais bien, les retours étaient animés. Un soir, mon père m'a dit qu'il nous avait vues : « Tu avais l'air d'une petite maîtresse. »

Je me suis fatiguée des mêmes personnages. Je constatais que Marie-Paule reprenait son visage buté de gamine qui ne pense qu'à retrouver les jupes de sa mère. Elle avait quelque chose de battu sur elle, même quand elle riait. Et jamais je ne pouvais lui faire enlever son manteau, tout juste le déboutonner, sous prétexte que sa mère le lui avait mis pour partir. Le printemps était très chaud. Un jour, j'ai inventé qu'une femme noire, aux grands ongles, nous attendait juste après le café. Une voleuse d'enfants. Elle les prenait par la main, les emmenait loin, là-bas, et les parents ne revoyaient jamais leur petite fille. Marie-Paule est restée silencieuse, puis j'ai senti qu'elle ralentissait. Sa figure était devenue

violacée. Elle s'est mise à hurler. Un cri large,
puissant, interminable, comme je n'aurais jamais
imaginé qu'il puisse en sortir d'une si petite
bonne femme. Elle tirait sur mon bras de toutes
ses forces et j'ai dû la lâcher. Elle a roulé par
terre, au-dessus de son cartable. Je l'ai relevée
avec beaucoup de mal, elle s'arc-boutait pour
retomber. À ce moment j'ai vu qu'elle avait fait
pipi dans sa culotte. J'ai pris son mouchoir dans
sa poche, je lui ai essuyé la figure, mouché le
nez, l'ai embrassée. Arrivée à la maison, il n'y
paraissait plus.

Si j'avais pris le lendemain la rue de la République au lieu de la rue Salengro, il n'y aurait
pas eu de suite. Mais il n'était pas question de
changer de route. Nous marchions tranquillement avec chacune notre cartable, comme si
rien ne s'était passé la veille. Nous ne devions
penser qu'à cela, au moment où je lui ferais voir
la femme noire, la voleuse d'enfants aux aguets
derrière les fenêtres blanches du café. Il m'a suffi
d'une phrase, comme la veille, la crise de larmes
et de trépignements a eu lieu.

Et tous les autres jours de classe. À l'aller,
nous montions la rue de la République, rien
n'était possible à cause de cette copine que je
retrouvais, et puis nous avions nos habitudes.
Ce devait être quelque chose d'après l'école,
quand on a tout son temps. Je n'y pensais

jamais dans la journée. Je jouais au ballon prisonnier, écoutais attentivement les leçons de
grammaire et d'arithmétique. À la cloche, je
me précipitais dans la grotte pour avoir une
bonne place, le long de la paroi de feuillage
évasée vers le ciel. On se croyait dans un berceau à regarder les nuages tandis que la prière
grondait. À quatre heures et demie, je faisais
sauter Marie-Paule du banc. Nous partions
main dans la main, moi comme innocente, elle
comme sans mémoire. Avec ses cheveux plats
et son manteau brun, elle avait l'air de Berna-
dette Soubirous.

Bien entendu, la voleuse d'enfants n'est pas
restée seule, l'ours cruel Croconok, l'homme au
couteau de boucher sont apparus au coin de la
rue Salengro. Pour déjouer les pièges, je propo-
sais à Marie-Paule de baisser la tête, marcher
sur la pointe des pieds, surtout ne pas pleurer.
Le signal des cris et des pleurs. Elle s'affalait
sur le sol, en refusant d'aller plus loin. Je lui
essuyais les yeux, l'embrassais et l'on pouvait
repartir gentiment.

Je ne redoutais pas qu'elle se plaigne à sa
mère, il me semblait qu'il s'agissait d'un secret
entre elle et moi. Qu'aurait-elle pu rapporter, je
ne la battais ni ne la pinçais et je faisais très
attention à elle en traversant les rues. Elle pleurait
pour des menaces de personnes qui n'existaient

pas. Ainsi que le disent les parents, elle pleurait pour rien. Je croyais qu'avec les mots tout était permis. Parfois une passante s'approchait, soupçonneuse, toujours persuadée que c'était ma petite sœur pour sangloter autant. Marie-Paule hurlait encore plus fort, la passante s'éloignait en haussant les épaules. Le seul ennui, la culotte mouillée.

Un midi, Marie-Paule n'est pas apparue à l'heure des informations. Au chapelet dans la grotte, je me suis tourmentée. Quand je suis rentrée, ma mère m'a appris que Marie-Paule n'irait plus à l'école avant octobre, elle était trop jeune et la classe ne lui réussissait pas. On la mettrait plutôt à l'école communale, toute proche.

Le mois de mai finissait. J'allais partir en retraite de communion. Un soir poussiéreux, je suis revenue seule par la rue Roger-Salengro pour rêver aux journées dans l'église, avec les garçons qui nous regarderaient et nous bousculeraient. Les vitres du café avaient été nettoyées, la salle intérieure apparaissait, vide. Je marchais peu à peu dans la stupeur. Marie-Paule ne me tiendrait plus jamais la main. Je l'avais perdue. J'ai pleuré de désespoir.

Je revois la grotte au bord du jardin, la rue Salengro, interminable et grise, deux petites filles qui avancent, la petite et la grande, parce que je suis un personnage pour moi-même dans ma mémoire. J'ai raconté cet épisode de mes dix ans pour comprendre un peu pourquoi j'avais envie d'écrire, mais cela ne fait jamais qu'une histoire de plus.

RETOURS

Écrit pendant l'hiver 1984-1985,
publié dans *L'Autre Journal*, avril 1985

La dernière fois que j'ai vu ma mère chez elle, c'était au mois de juillet, un dimanche. Je suis venue en train. À Motteville, nous sommes restés longtemps en gare. Il faisait chaud. Tout était silencieux au-dedans du compartiment et au-dehors. J'ai regardé par la vitre baissée, le quai était vide, de l'autre côté de la barrière SNCF, les herbes hautes et les branches basses des pommiers se touchaient presque. À ce moment-là, j'ai senti réellement que j'approchais de C. et que j'allais revoir ma mère. Le train est reparti, à vitesse réduite jusqu'à C.

À la sortie de la gare, il m'a semblé reconnaître des têtes, sans pouvoir mettre un nom sur aucune. Je ne l'ai peut-être jamais su. Il faisait moins chaud, à cause du vent. Il y a toujours du vent à C. Tout le monde, ma mère, pense qu'il y fait plus froid qu'ailleurs, ne serait-ce qu'à cinq kilomètres.

Je n'ai pas pris le taxi garé devant l'hôtel du Chemin de fer, comme je l'aurais fait n'importe où. Sitôt que je suis à C., je retrouve les façons de me conduire d'avant : le taxi réservé aux communions, aux mariages et aux enterrements. On ne va pas dépenser de l'argent à ça. J'ai monté la rue Carnot, jusqu'au centre de la ville. À la première pâtisserie, j'ai acheté des gâteaux, des éclairs et des tartes grillées aux pommes, comme celles qu'elle me disait de rapporter après la messe de midi. Des fleurs aussi, des glaïeuls, qui tiennent longtemps. Jusqu'au lotissement où elle habite, je n'ai pensé à rien d'autre que « je vais la revoir » et « elle m'attend ».

J'ai cogné à la porte mince du studio de plain-pied. Elle a crié : « Oui ! Entrez !

— Tu devrais t'enfermer à clef !

— Je savais que c'était toi. Ça ne pouvait être personne d'autre. »

Elle était sans tablier, avec du rouge à lèvres, elle riait, debout à côté de la table. Elle a mis la main sur mon épaule, en levant son visage pour que je l'embrasse. En même temps elle posait des questions pressées sur mon voyage, les enfants, le chien. Elle ne répondait pas aux miennes. Peur d'ennuyer, toujours, en parlant d'elle. Plus tard, elle a répété, à son habitude : « Je suis bien ici. Je ne peux pas être mieux », et « Je serais bien difficile si je me plaignais ». La télé était allumée, sans le son, la mire seulement sur l'écran.

Elle a pris les glaïeuls avec gêne, en me remerciant d'un ton artificiel. J'avais oublié : lui offrir des fleurs du fleuriste lui a toujours paru, venant de ma part, une grimace, un geste de gens bien, qui la froisse. J'avais l'air de la traiter comme une femme étrangère, c'est-à-dire pas de la famille, avec chichis. Les gâteaux lui ont fait plaisir, mais elle en avait acheté pour nous deux au retour de la messe.

Nous nous sommes assises l'une en face de l'autre, de chaque côté de la table qui emplit presque tout le studio, avec le buffet. Je me suis souvenue de sa réflexion la première fois que j'étais venue ici, après son emménagement : « Je l'ai achetée grande, on pourra manger à dix au moins autour ! » Pas une seule fois, en six ans. Elle l'a recouverte d'une toile cirée pour ne pas l'abîmer, malgré tout.

Elle était oppressée, haletante, comme si elle ne savait par où commencer devant la quantité de choses à nous dire. Il fait sombre dans son studio et il y a une légère odeur, elle n'aère plus assez. Quand j'étais enfant, elle m'emmenait voir des vieilles dames le dimanche. En sortant, elle reniflait l'air : « Ça sent le renfermé chez les vieux, ils n'ouvrent plus rien. » Parce qu'elle disait cela, je n'avais pas prévu qu'elle puisse devenir comme eux.

Elle a parlé du temps qu'il fait par chez elle au printemps, des gens décédés depuis la dernière fois, s'irritant de mon manque de mémoire qu'elle prend pour de la mauvaise volonté. « C'est que tu ne veux pas te rappeler. » Multipliant les détails jusqu'à ce que j'y sois : là où la personne demeurait, sa fille qui est allée à l'école avec moi, etc.

Nous avons mis la table à midi moins le quart. La dernière fois, elle avait attendu midi et demi. Elle accélère tout maintenant. À un moment, elle a dit que les beaux jours seraient bientôt finis.

En cherchant des serviettes, j'ai découvert une pile de romans-photos au fond du buffet. Je n'ai fait aucune remarque, mais elle s'est doutée que je les avais vus. « Les petits journaux, c'est Paulette qui me les passe, sinon tu sais que je n'en lirais pas. Elle, elle ne lit que ça, ces histoires de rien du tout. » Peur encore que je lui reproche ses lectures. J'ai failli lui dire que ça ne faisait rien si elle préférait *Nous Deux* à Malraux, qu'elle venait d'emprunter à la bibliothèque municipale. Elle aurait été malheureuse que je paraisse la croire incapable d'avoir des lectures semblables aux miennes.

Le repas s'est passé silencieusement. Ses yeux baissés sans arrêt sur l'assiette, ses gestes un peu

malpropres de quelqu'un habitué à manger seul.
Elle a refusé que je fasse la vaisselle : « Qu'est-ce
qu'il me restera à faire tout à l'heure quand tu
seras partie ? »

Elle se tenait droite sur sa chaise, les bras
croisés. Je ne lui ai jamais vu aucun geste de
complaisance vis-à-vis de son corps, se lisser
doucement les cheveux, ou glisser une main
dans l'échancrure de sa blouse quand elle était
plongée dans un livre. Ses seuls gestes d'aban-
don n'ont été que l'expression de sa fatigue :
s'étirer en levant les bras au-dessus de la tête,
s'affaler sur une chaise, les jambes étendues
devant elle. Moins de dureté dans son visage
qu'autrefois, de ce raidissement nécessaire pour
faire son chemin dans la vie. Ses yeux gris, qui
m'ont continuellement soupçonnée du pire,
me fixaient avec une douceur avide. Elle avait
compté les jours, s'était dit le matin que je venais
aujourd'hui, nous étions là toutes les deux, et
la moitié du temps était déjà passée. Le ton de
visite entre nous, l'enjouement et la gentillesse à
jamais. L'autre ton, la violence des quinze ans,
ne nous viendra plus. « Mollasse, salope, je me
crève pour elle. — Je foutrai le camp. — Tu iras
en maison de correction avant, carne. »

Elle a essayé de trouver encore des sujets de
conversation, que je ne la laisse pas seule trop

tôt avec son désir de moi, vivre avec moi sa fille, toujours. « Paulette m'a apporté des groseilles à maquereau. Tu parles si elles sont belles. Il faut dire que c'est la saison. Tu me feras penser que je t'en donne avant de partir. » Paulette vient la voir toutes les semaines, une ancienne voisine de mon âge, elle n'a jamais quitté C.

J'entendais les voitures au loin, sur la route nationale, une radio, du studio d'à côté, peut-être le tour de France.

« C'est calme.

— Ça a toujours été calme. C'est le dimanche le plus calme. »

Plusieurs fois sans doute, elle m'a recommandé de bien me reposer pendant les vacances. La phrase qui me faisait le plus horreur autrefois quand je me plaignais de ne pas savoir quoi faire : « Tu n'as qu'à te reposer. » Encore un début d'agacement, mais ses mots ont perdu le pouvoir de m'atteindre. Ils éveillent juste des souvenirs, à la façon de la radio des sports le dimanche, des tartes grillées aux pommes. Ressentir l'ennui des étés à C. La lecture du matin au soir, les films dominicaux pour adultes avec réserves ou à déconseiller dans la salle aux trois quarts vide du Mondial, alors qu'elle me croyait en train de me promener « gentiment » avec une cousine plus âgée. Les jeux de la quinzaine commerciale, le bal public où je n'osais pas entrer.

Au milieu de l'après-midi, un chat s'est montré sur le bord de la fenêtre de la kitchenette. Elle s'est levée d'un bond de son fauteuil pour le faire entrer, un chat « adoptif » qu'elle nourrit, qui dort sur son lit dans la journée. Depuis mon arrivée, elle n'avait été aussi heureuse. Nous nous sommes occupées longtemps du chat, à le regarder, le prendre chacune à notre tour. Elle avait plein de tours de « ce petit cochon » à me raconter, les rideaux griffés, même ses poignets, rayés de rouge à deux endroits. Comme autrefois, elle a dit « tout ce qui vit est beau ». Elle semblait avoir oublié que j'allais partir.

Au dernier moment, elle a sorti un papier urgent à remplir pour la Sécurité sociale. « Je n'ai plus le temps, donne-le-moi, je te l'enverrai. — Ça ne prend pas de temps, tu es à cinq minutes de la gare. — Je vais rater le train. — Tu ne l'as jamais raté. Tu prendrais le suivant. » Elle était au bord des larmes, elle a fini par le rituel : « Tout ça me contrarie. »

Sur le seuil, elle essayait de parler encore après m'avoir embrassée. Dernière image d'elle, dans l'embrasure de la porte, ses bras un peu arrondis le long de sa silhouette massive, en robe jaune, la plus belle qu'elle ait, qui se colle sur sa poitrine et son ventre, un sourire large, figé. Cette fois encore, il m'a semblé que je partais mal, comme une péteuse.

J'ai pris pour la gare l'itinéraire le plus court, celui qui passe devant le garage Shell. Là, autrefois, je me préparais à la fouille de son regard en revenant du cinéma, me raidissant, effaçant le reste de rouge à lèvres. Qu'est-ce qu'on va penser de toi ?

Dans le train, j'ai dû l'imaginer, lavant la vaisselle, dans son silence à elle, les signes de ma présence bientôt tous effacés. J'ai regardé C. disparaître, la cité des cheminots au bord des voies, les bâtiments de la Sernam.

Un mois après, je suis retournée voir ma mère. Elle venait d'être admise à l'hôpital de C. pour une insolation, après la messe. J'ai aéré le studio, pris des papiers administratifs dans le buffet, jeté les denrées périssables du frigidaire. Dans le bac à légumes, il y avait les groseilles à maquereau que j'avais oublié de prendre la fois d'avant, préparées dans un sac en plastique noué en haut, où elles formaient un tas brun et liquide.

VISITE

Texte publié dans *Le Figaro*, 13 novembre 1984

Même le dimanche, il n'y a jamais personne dans le hall. La fille a regardé fixement son image dans la glace au fond de l'ascenseur, durant toute la montée des cinq étages. La porte s'est ouverte sur la grande lumière, les bruits de voix et de chariots, l'odeur chaude. Elle s'est avancée au bord de la salle, cherchant sa mère parmi toutes les femmes assises aux tables, avec le même tablier à carreaux. Toutes, elles se tournent vers elle, des sourires. La mère de la fille s'est levée et reste debout entre sa chaise et la table. Fierté d'être celle qu'on vient voir. Honte de se trouver là au milieu des autres femmes, pareilles à elles. Comme la fille autrefois, quand elle attendait la mère sur le banc du préau et qu'elle se dressait en la voyant arriver. Toujours, en se laissant embrasser, « si c'était toi que j'attendais ! ». Bien montrer qu'elle a mille choses à penser ici, elle n'attend pas après les visites. Elle regardait la télé.

Beaucoup de femmes portent des bas mousse sans jarretelles, qui s'arrêtent au-dessus du genou, dévoilant de la peau très belle, et blanche.

La fille emmène lentement la mère jusqu'à la chambre. Un homme en pyjama bleu attend à côté de l'ascenseur. Une femme au chignon blanc passe rapidement et lui pose sa paume sur les lèvres sans parler. L'homme sourit et baisse les yeux. La chambre est toute jaune de soleil. La compagne de la mère lit un roman-photo dans le fauteuil près de la baie. La fille a installé la mère dans l'autre fauteuil et lui donne à manger une brioche. Elle la regarde détacher difficilement un morceau, le porter à sa bouche avec hésitation, puis dévorer avec agilité, recommencer. Après, des chocolats, dont elle enlève le papier avant de les mettre dans la main de la mère. Rumeur de l'autoroute. Une femme chante dans la chambre en face « *Mon amant de Saint-Jean* ». La mère glisse le bonbon dans sa poche, pour tout à l'heure. La fille passe de l'eau de Cologne derrière les oreilles de la mère, étend de la crème de jour sur les joues froides, de la poudre de riz, avec la houppette. À chaque fois, elle a besoin de toucher son corps, remonter ses bas, faire beau son visage où le regard devient opaque. « Ça va mieux après un brin de toilette », dit la mère. C'est une phrase d'avant, quand elle venait de se laver et de se maquiller, après

avoir fait le ménage. Et quelques autres encore :
« Assois-toi, tu ne paieras pas plus cher », ou, « tu
as passé de bonnes vacances ? », à chaque visite.

Elles sont assises l'une en face de l'autre. La
fille veut ne penser à rien. Il y a l'odeur, réchauf-
fée par le soleil en plein dans la baie. Odeur douce
et vivante de berceau souillé. Quand la fille était
petite, que sa mère s'agenouillait devant elle pour
rectifier ou arrondir un ourlet, ça la faisait rire de
l'imaginer en petite fille et elle en dame.

L'infirmière vient ouvrir les lits et pose sur
chacun une couche de cellulose pour la nuit.
La mère détourne les yeux, et la fille. Une fois,
contrite, « je ne sais pas comment ça se fait, ça
m'a échappé ». Depuis longtemps, la femme
dans le fauteuil s'est endormie, la main à son
sexe. La fille reconduit la mère vers la salle, mais
elle résiste. Elle suit sa fille jusqu'à l'ascenseur,
parle beaucoup tout à coup. La fille appuie sur
le bouton et les deux battants broient l'image de
la mère vacillante, en train de bouger les lèvres.
Elle se regarde à nouveau dans la glace.

Elle roule sur l'autoroute pleine de monde.
Dimanche de mai. À sa communion, la mère
était une grande femme en tailleur noir « grain
de poudre », avec des talons très hauts qui ne
l'empêchaient pas de courir. Elle avait quarante-
cinq ans, exactement son âge à elle maintenant.

LITTÉRATURE ET POLITIQUE

Écrit pendant l'été 1989,
publié dans *Nouvelles nouvelles*, n° 15

L'une des idées les plus répandues en ces années quatre-vingt – et rien n'annonce son extinction, tant elle a force d'évidence pour la majorité des écrivains et du public – est celle-ci : la littérature n'a rien à voir avec la politique. Elle doit s'en préserver comme de la peste pour mériter d'être de la « vraie littérature ». Elle n'a pas à renvoyer à un sens politique, non plus que social, au réel en général, seulement à l'imaginaire de son auteur (qui – c'est devenu un cliché – n'écrit que pour lui), un imaginaire curieusement vide de représentations politico-sociales. Ce qui a été longtemps un sujet de débat, le rôle de l'écrivain dans la société, est devenu impensable, voire incongru. La frontière entre la politique et la littérature est plus solide qu'elle ne l'a jamais été dans les siècles précédents. Le livre que Claude Simon a écrit après son voyage en URSS, *L'Invitation*, et la plupart des commentaires qu'il a suscités, sont

assez significatifs des relations de la littérature au
politique. Voici un texte qui évoque visiblement
(encore faut-il au lecteur certaines informations
extérieures pour se repérer, comprendre de
quelpays il s'agit) l'Union soviétique et Gorbat-
chev, mais en des termes tellement allusifs, une
vision si « artiste » que le seul sens politique qu'on
puisse en tirer est que justement la politique est
dérision, farce cruelle, ne concernant pas le nar-
rateur. Les critiques ont vu là une manifestation
de l'univers et du style de Claude Simon : le déni
de rôle politique, de participation du livre à une
interrogation sur la vie des gens en URSS, est égal
des deux côtés, celui de l'écrivain et celui de ceux
qui rendent compte de l'œuvre. Tout se passe – il
y a certes de bonnes raisons historiques à cela –
comme si on ne pouvait concevoir la relation de
l'écriture à la politique que sous la forme d'une
subordination : être au service d'une cause ou
d'un parti. L'esthétisme, avec le livre ne débou-
chant sur rien de réel, apparaît alors comme une
valeur éthique : il serait la liberté, l'indépendance.

Rien n'est moins sûr. L'écriture, quoi qu'on
fasse, « engage », véhiculant, de manière très
complexe, au travers de la fiction, une vision
consentant plutôt à l'ordre social ou au contraire
le dénonçant. Si l'écrivain et ses lecteurs n'en ont
pas conscience, la postérité ne s'y trompe pas. Il
n'y a pas d'apolitisme au regard de l'histoire

littéraire. Roland Barthes a eu un jour cette formule sur l'écriture : « c'est le choix de l'aire sociale au sein de laquelle l'écrivain décide de situer la Nature de son langage ». Elle est sans doute plus juste que toutes les affirmations sur l'innocence de l'art et de l'artiste.

La conception d'une littérature miroir d'elle-même, s'écartant des phénomènes historiques et sociaux qui constituent « le politique », ou les déréalisant, si bien qu'ils ne peuvent plus toucher ou déranger, je ne la comprends pas, elle m'est presque douloureuse. Sans doute parce que, à l'adolescence, si la littérature a contribué à me séparer de mon milieu social d'origine, où on ne lisait pas, elle a été aussi prise de conscience, ouverture sur des problèmes insoupçonnés. C'était *Les Raisins de la colère*, *La Peste*, *La Condition humaine*, bien d'autres livres encore. Des choses difficiles à vivre, sans nom, pas seulement dans le domaine social, devenaient moins lourdes d'être décrites et nommées. La littérature me *changeait*. Quand j'ai commencé de vouloir écrire, à vingt ans, j'espérais, certes, comme on dit « faire œuvre d'art » (comment aurais-je pu *penser* autrement quand j'étais nourrie de ce dogme à l'université ?), mais ce n'est pas cela que j'ai noté spontanément, naïvement – c'est-à-dire naturellement – sur une page de cahier. C'est : « J'écrirai pour venger ma race » (la substitution de « race » à « classe » n'étant pas un hasard, une étourderie). Ce lien entre l'exercice de l'écriture et l'injustice du monde, je n'ai jamais cessé de le ressentir et je crois que la littérature peut contribuer à modifier la société, comme l'action politique, bien que différemment. Elle ne peut arrêter une guerre, donner du travail aux chômeurs, faire que les enfants de La Courneuve aient un avenir aussi ouvert que ceux de Neuilly, elle n'a jamais d'efficacité immédiate. Elle peut, sur le long terme, imprégnant l'imaginaire du lecteur, rendre celui-ci sensible à des réalités qu'il ignorait, ou l'amener à voir autrement ce qu'il considérait toujours sous le même angle. Lui permettre de dire (et d'abord de se dire) ce qu'il n'avait jamais dit. Elle est révolution lente et silencieuse dans un premier temps, celui de la lecture, secrète : qui verrait, du dehors, qu'on est « habité » par un livre qu'on vient de lire ? Parfois, elle devient révolution effectivement réalisée, mais ne se confondant pas avec elle, la dépassant : « L'homme est né libre, et partout il vit dans les fers », la phrase de Rousseau continue de brûler, pour un certain nombre. Phrase dont l'extrême beauté est inséparable du *sens*. Qui n'apparaît pas comme de la littérature et qui en est, toutefois, dans sa visée la plus haute : mettre toutes les ressources de l'art dans le désir de dire et transformer le monde.

CESARE PAVESE

Écrit en juillet 1986,
publié dans la revue *Roman*, 4ᵉ trimestre 1986

Il y a la plage, les champs de vigne, le soleil, toute la beauté du monde. Et la cruauté, la violence, la solitude et la mort. Mais toujours, au commencement, la fête. « À cette époque, c'était toujours fête », les premiers mots du *Bel Été*. La fête est partout, la fête dont on entend la musique derrière les collines, depuis les cours de ferme et les ateliers de couture, la fête que l'on fait avec du vin et une guitare, durant des nuits entières, dans des chambres d'étudiant, ou sur les collines justement, dans la chaleur de l'été. Car c'est aussi, toujours, l'été. Ou simplement la fête de vivre, quand on est jeune, qu'on entre dans le monde. Mais la fête n'a pas lieu, ou bien elle tourne mal. Ginia du *Bel Été* a perdu ses illusions, il ne lui reste plus qu'à sombrer dans la fête payée de la prostitution. Rosetta de *Entre femmes seules* rencontre la mort au bout de sa dolce vita, tandis que Clelia, parvenue à une réussite sociale désirée, découvre qu'on « obtient les choses quand elles ne servent plus à rien ». La fête est la forme du tragique de Pavese, forme déchirante, dans laquelle l'image du bonheur ne cesse d'être là et perdue d'avance.

Ce qui est terrible, dans l'œuvre de Pavese, c'est que le tragique semble naître du fonctionnement naturel de la vie, des incidents les plus ordinaires, une cuvette d'eau jetée par la fenêtre dans une ruelle, le sourire de la fille, qui danse avec vous, à quelqu'un d'autre dans la salle. L'échec, la violence, la mort, s'ils surviennent, s'en trouvent neutralisés, comme arasés, inclus dans le cours de l'univers. Lire Pavese, c'est être à la terrasse d'un café, en été, les voitures défilent, la peau des femmes scintille lointainement, on ne sait plus depuis combien de temps on est là, ni pourquoi. Le journal annonce un attentat, des faits divers. Les choses sont là, mais à distance, dans leur opacité. Je n'ai jamais éprouvé ailleurs cet étrange sentiment d'être prise dans une réalité qui ne pourrait être autre qu'elle n'est, dont, même, on ne peut pas *vouloir* qu'elle soit autre. Effet d'une écriture transparente, qui ne s'exhibe pas comme écriture, mais tend à faire seulement voir ou sentir, à, suivant Pavese lui-même, « présenter sans décrire ». Cette écriture qui montre, sans analyser ni juger, donne exactement la sensation que donnent les choses au moment où on les vit, avant qu'elles soient interprétées par l'intelligence et la mémoire. Dans une nouvelle brève, *Années*, un homme se réveille. Sa maîtresse l'a prévenu, la veille au soir, qu'il devait la quitter, s'en aller ce matin. Dans la seule relation des paroles échangées, du dernier petit déjeuner, des gestes de la femme, sa façon de se limer les ongles, est exprimé le malheur informe et indicible de l'homme. Impression merveilleuse et désolante d'un univers où il n'y aurait que des choses et des comportements, des sensations, mais pas de mots.

Cette quête désespérée du réel s'accomplit à travers la conscience et la sensibilité d'un seul personnage. On est enfermé dans le présent de Ginia, de Pablo (*Le Camarade*) et, comme dans la vie, on ne sait pas ce qui viendra ensuite, ni le sens de ce que l'on est en train de vivre. Ginia traverse son premier été de jeune fille dans le plaisir et le trouble, sans mesurer la portée de ses désirs, de ses fréquentations. Tout l'admirable de Pavese est dans cette *suspension du sens* et cet enfermement dans un présent sans échappée. Technique, mais peut-on employer ce mot, qui renvoie à une impossibilité d'atteindre jamais l'Autre (*Journal* : « La femme est un peuple ennemi comme le peuple allemand »).

Seule la vie vécue, le présent accumulé finissent par faire sens, et le récit parvenu à son

terme. Il ne se passe presque jamais rien dans
les textes de Pavese, que du temps. Et ce temps
mène insensiblement, non à la révélation ou
la connaissance comme chez Proust, mais à la
constatation de l'échec, à la solitude. À l'action,
exceptionnellement, ce sera *Le Camarade*. Le
plus souvent à la mort.

Le 27 août 1950, Pavese s'est suicidé dans
une chambre d'hôtel de Turin. J'ai vérifié – je
crois qu'on peut faire des choses comme celle-là
quand on aime passionnément l'œuvre d'un
écrivain – le 27 août tombait cette année-là un
dimanche, jour de fête.

IMAGES, QUESTIONS D'URSS

Europe, juin-juillet 1989

Septembre 1988. De nouveau Moscou.

Les trottoirs des avenues sont toujours défoncés (mais la rue piétonne de l'Arbat est si jolie avec ses façades anciennes ravalées, ses bancs, ses vendeurs de tendres chromos, ses musiciens), si peu de robes dans le grand magasin du Goum (mais tant de tissu, souvent beau, les femmes confectionnent donc elles-mêmes leurs affaires ?), les waters sont partout odorants, l'hôtel Rossia, palace à l'extérieur, à l'intérieur ressemble à un hôpital dégradé (luxe, au contraire, propreté inouïe des stations de métro) : comment aller en URSS sans réclamer sans cesse, et les comptabiliser, les signes *visibles* du bonheur ou du malheur d'être soviétique ? Et maintenant, les signes de la perestroïka ?

Hier soir, sur l'autoroute entre l'aéroport et le centre de Moscou, il faisait nuit et il pleuvait en abondance. Le chauffeur de la voiture, un garçon frisé avec des lunettes rondes, écoutait du hard-rock à fond sur le radiocassette, penché sur le volant, la tête près du pare-brise, parce que les essuie-glaces ne marchaient pas. À intervalles réguliers, il descendait de voiture et les actionnait à la main, tranquillement. Il remontait et conduisait, les yeux sur la pluie, le dos bondissant sous le rythme de la musique. Je sais que je me souviendrai de lui, premier visage approché vraiment dans ce voyage, et, plus qu'emblème de l'incurie soviétique et de la pénétration de la culture américaine, signe indicible, impalpable, d'une atmosphère plus libre, un peu folle. (Souvenir d'un ordre cotonneux, lors de mon premier séjour, il y a sept ans, ordre dont je pouvais sentir le poids mais aussi la douceur sécurisante. D'une histoire arrêtée et figée dans les affiches montrant les profils hiératiques des travailleurs et exaltant la production, maintenant disparues.)

Aujourd'hui, nous avons rencontré deux poètes et trois romanciers dans la Maison des Écrivains. Une grande pièce un peu sombre. Les poètes étaient assis près de la table basse, devant nous, les romanciers à l'écart, près de la fenêtre. Ils ont parlé longtemps. Pas une fièvre de mots, mais une parole lente et grave, malgré l'humour continuel, les allégories et les métaphores qui illustrent chaque idée et transforment le discours russe en une succession de tableaux et de scènes. Ils ont dit la censure et l'autocensure, l'étrangeté d'écrire – d'agir, en général – dans une société opaque, où rien n'est compréhensible sauf la peur. Ils ont décrit le présent, le désir et la crainte de la liberté (jusqu'en eux-mêmes). Ils se sont interrogés sur la fonction de l'écrivain, refusant tous la littérature à message idéologique (tentation, naturelle, de l'esthétisme confondu, comme à l'ouest, avec la liberté). Le poète Rojdestvenski, massif, aux lèvres lourdes, parlait les paupières baissées. En l'écoutant, certitude que la perestroïka est d'abord cela, le temps de la parole enfin advenue. Et aussi souffrance, contenue dans le ton même des voix, le sérieux ardent des visages, certaines hésitations. Souffrance du constat de la société, souffrance peut-être du consentement passé et du retournement complet de l'être (comment imaginer de devoir, collectivement, changer de mémoire ?). Fugitivement, j'éprouvais une gêne d'entendre exposer, racler devant nous, étrangers et Occidentaux, ces plaies et ce mal-être. Une phrase de colère et de douleur d'un héros de Tourgueniev me revenait alors : « Le Russe n'a justement que cela de bien, c'est qu'il a une atroce opinion de lui-même. » Mais peut-il y avoir trop de paroles après des dizaines d'années de silence ?

La rencontre avec des sociologues et des professeurs s'achevait. Sur la table, les cendriers pleins, les tasses et quelques morceaux de sucre – dont le pays manque en ce moment – restant dans une assiette, comme toujours emballés dans un beau papier blanc, avec des coques dépassant de chaque côté à la façon des bonbons de luxe (bien qu'on manque aussi de papier). On s'est levé. L'un des organisateurs a ramassé les sucres et me les a glissés discrètement en souriant dans la main. Je ne peux pas oublier ce geste de pénurie, de partage complice de la pénurie. Rappel inexorable, menaçant de la réalité *matérielle*.

Du troisième rang, je voyais jusqu'à l'expression de leur visage, de leurs regards, juste avant qu'ils ne se lancent l'un et l'autre dans le vide, tournoient, avant de s'agripper les mains et d'échanger leur trapèze. L'un est tombé, a rebondi dans le filet. Murmure immense de la

foule, puis cette tension douloureuse-heureuse
dans l'attente du prochain saut. Enfin, ils se
sont rejoints dans les airs. Le corps glorieux, la
beauté la plus émouvante qui soit parce qu'elle
est donnée en même temps que l'effort, dans un
temps bref, menacée de sombrer dans la laideur
au moment même où elle est en train de se réa-
liser. Le Cirque de Moscou, une fois encore, m'a
remplie de bonheur. En sortant, pensée cepen-
dant qu'ici on exaltait le corps-exploit, jamais le
corps-plaisir (plaisir pour soi ou pour les autres),
ni dans l'art, ni dans la vie. *Quand cela aussi
adviendra-t-il ?* Est-ce qu'il reste encore assez de
temps pour que cela advienne ?

Je lis chez Aïtmatov que « les gens ne croient
plus à rien, que le matérialisme a tué l'âme »,
et il montre que l'on crucifierait le Christ une
seconde fois (*Le Billot*). Et ceci, de Raspoutine,
lui aussi populaire : « Les hommes ont oublié la
place que Dieu leur a donnée », « c'est Dieu qui
est dans l'âme. Elle te bénit, te protège », etc. Un
nouveau discours de l'âme, lié à la condamna-
tion de la ville et du modernisme, à la nostalgie
des valeurs anciennes (de quand ? de qui ? des
arrière-grands-parents serfs en Russie, commis de
ferme en Normandie ?), travail, famille, sol natal.

À Zagorsk, des femmes psalmodient entre le
chant et les larmes. Un pope, immobile, ses cheveux étalés sur sa robe brune, est comme perdu

dans le reflet de son visage que lui renvoie la vitre protégeant l'icône. Mais il a les yeux fermés. Douceur utérine de ce lieu, de toutes les églises orthodoxes, étroites, sans autre lumière que celle de l'or et des cierges. Au fond, une vieille femme assise à une table est entourée d'une foule qui fait la queue. Elle inscrit sur des bulletins où figure une prière (il y en a deux sortes suivant les intentions) les noms des gens pour lesquels, sans doute, on dira le service religieux ou d'autres prières.

Soleil du samedi sur la Place Rouge. Des voitures s'arrêtent à l'entrée d'un passage gardé par un militaire. De chacune descendent des mariés, elle en robe longue blanche, lui en costume avec des gants, elle toujours plus mûre que lui, très « gamin ». Les couples s'avancent tour à tour : on les conduit au tombeau de Lénine. Rite du jour des noces qui, comme sûrement beaucoup de rites, signifie moins adoration collective qu'espérance de bonheur. Il va peut-être disparaître. Le mausolée lui-même... À cause du soleil sur les voitures à pompons, des rires des mariés, je me suis prise à souhaiter que non. Préserver aussi un peu de ma propre mémoire mythique, la Révolution de 1917, Octobre...

La lumière de Leningrad, ce soir-là, un dimanche, sur un pont de la Neva. Le silence et les herbes entre les tombes du cimetière de Novodievitchi, les étoiles rouges sur les tours du Kremlin, la nuit, et même ces vertigineuses cathédrales d'habitation de l'époque stalinienne, aussi angoissantes et faites pour l'imagination que les châteaux de Bavière. Sans doute, j'ai fait la part, dans mon voyage, de la beauté des choses. Elle a été rarement pure. Maintenant, de retour en France, ce que je revois de Tbilissi, c'est une femme assise sur une chaise, à la sortie de l'escalier mécanique, dans un grand magasin. Elle surveille que les clients montent bien régulièrement, qu'ils lèvent le pied en arrivant dans le haut. Elle regarde aussi la figure des gens, par ennui, ou parce qu'elle doit vérifier aussi les intentions. Une femme brune et forte, sans rien de particulier. Qu'est la perestroïka pour elle et qu'est-elle, elle, pour la perestroïka ?

LEIPZIG, PASSAGE

Écrit en 1990, publié en 1991 dans *Instants*,
recueil de l'Institut français de Leipzig

dimanche 11 novembre 1990

Depuis l'aéroport, nous traversons des villages silencieux, une campagne plate, peut-être fertile, comment savoir en cette saison où la terre est nue. Temps doux et brumeux. Seule note inquiétante, de grands engins érigés vers le ciel : j'apprends que ce sont des extracteurs de lignite. Un an jour pour jour, c'était l'événement inouï, la chute du Mur, entraînant la disparition d'un État et, ce que personne ne croyait plus possible, la réunification de l'Allemagne. Un an seulement pour tant de bouleversements. Pourquoi l'Histoire n'est-elle pas *visible* partout, saisissable du premier coup comme dans un tableau ? Je regarde autour de moi, je ne vois qu'un paysage rural un peu lourd, avec des fermes, des taillis, un dimanche après-midi.

Sans doute, comme tous les Français, gavés

d'images télévisuelles, de reportages lyriques sur le grand chambardement, me suis-je imaginé l'ex-RDA transformée jusqu'au brin d'herbe et en proie à une liesse permanente dans les villes et les campagnes. Quelque chose de l'atmosphère de la révolution de 1989, telle du moins que les défilés, les émissions de télé (encore) de la commémoration nous l'ont montrée cette année. Il va falloir me faire à cette idée : ce que je vais voir à Leipzig, c'est essentiellement le passé, un passé de quarante ans de capitalisme d'État (non de vrai socialisme) inscrit dans les murs, les vêtements et les gestes des gens. Ce n'est que pour les étrangers à ce pays que le passé est mort, pour les habitants d'ici c'est encore une composante du présent. « Voir » ai-je écrit, mais que verrai-je en deux jours, sinon des apparences. La réalité, pas plus que l'Histoire, n'est visible au premier coup d'œil.

De plus, mon regard n'est pas innocent. Un souvenir d'enfance me revient. L'été, des Parisiens en vacances s'égaraient dans le quartier populaire de province où j'habitais, nous détaillant avec curiosité, nous plaignant à voix haute de nos conditions de vie, alors qu'on jouait et qu'on ne leur demandait rien. Est-ce qu'aujourd'hui, voyageuse venue de l'Ouest, je ne suis pas dans la même disposition d'esprit que ces Parisiens aisés de jadis, convaincus de leur bonheur et de leur supériorité ? Au moins – façon de me consoler – n'ai-je rien à vendre, à la différence de ces rangées d'hommes d'affaires qui remplissaient l'avion, penchés sur leurs dossiers, telle une nuée d'insectes prêts à fondre sur un territoire...

Il s'est mis à pleuvoir aux abords de Leipzig. La première chose qui frappe en arrivant dans la ville ne se voit pas, bien qu'elle soit partout, audedans et au-dehors : l'odeur du lignite. Cela fait penser à un mélange de café torréfié à l'excès et de substances chimiques écœurantes. Impossible d'ouvrir la fenêtre de la chambre surchauffée (26° au thermomètre), l'odeur est là, sans doute rendue plus âcre avec la pluie. Encore un souvenir, plus récent, celui d'une terrible senteur douceâtre, flottant sans arrêt sur les villes de raffinerie de pétrole près du Havre, à laquelle, paraît-il, les gens sont habitués. Ici aussi peut-être.

Et puis il y a ce paysage de démolition noire, ces pans de murs, ces immeubles superbes dont on aperçoit de près le délabrement, comme si un étrange bombardement avait touché la ville des années auparavant, et qu'on n'ait jamais réparé ou reconstruit.

Les rues sont vides : il pleut et c'est dimanche. Au restaurant plutôt chic où nous allons dîner, le maître d'hôtel, à la fois empressé et raide,

nous dit qu'il reste une table et elle est retenue
pour l'heure suivante. Il faut donc manger rapidement, quitter les lieux cinquante minutes plus
tard. Affluence dans les endroits où l'on peut
jouir de ce qui manquait, mais à quel prix ? Et
qui dîne ici ? Des gens de Leipzig ou des étrangers, des industriels de Munich ?

Sous une galerie couverte, des magasins de
produits de luxe, bijoux, argenterie, vêtements
et parfums, dont la disposition maladroite manifeste l'inexpérience de l'étalagiste. C'est encore
le produit de luxe tel quel qu'on accumule et
qu'on exhibe et non le bel objet faisant partie
d'un « tableau ». La valeur marchande n'est pas
encore camouflée en valeur esthétique.

La vie, absente des rues, est tout entière dans
les anciens cafés, pleins de gens qui dînent ou
boivent, de fumée. Nous trouvons une place
dans l'un d'eux, plusieurs salles en sous-sol,
chaleur épaisse, rumeur assourdissante. À la
table voisine, longue et couverte comme les
autres tables d'une nappe blanche, une femme
est assise, seule, avec dix verres pleins, du
vin, placés devant les sièges vides de convives
absents. Elle semble la prêtresse d'une étrange
cène. Tout invite, malgré le bruit ou à cause
de lui, à la torpeur et au rêve lourd. L'inoccu-
pation du dimanche, sa plénitude et son ennui
aboutissent à cette sorte de fête lente à la bière,

loin de tous les changements. Le rituel d'une très ancienne Allemagne se répète ici. Quand on quitte le café, on a froid. L'odeur oubliée du lignite revient. D'une église s'échappent la musique et les chœurs du *Requiem* de Mozart.

lundi 12 novembre

Au comptoir d'accueil de l'hôtel-foyer où je loge, l'employée gère la réservation à l'aide d'une grande feuille où figure un tableau à double entrée, jours et numéros des chambres, sur lequel elle promène, pour se repérer, une immense règle. Malgré tout, il y a des erreurs, la femme se crispe, la règle parcourt nerveusement le tableau. Il serait facile de voir en cette scène un symbole du « monde d'hier », de sa routine rigide. Après m'avoir agacée, cette femme me touche. La cinquantaine. Pour elle, que signifie la transformation politique et économique, lui est-il facile de réagir autrement que par la peur et le raidissement à ce qui est nouvellement exigé d'elle et qu'elle ne perçoit que confusément ?

Fuir les symboles donc, cette tentation permanente du voyageur étranger qui brouille la vue. Difficile encore devant les belles façades, que j'aperçois maintenant en plein jour et qui, derrière, n'abritent que des ruines. Image du régime précédent ? Peu m'importe. Le délabrement de ces maisons anciennes, cette beauté meurtrie, abandonnée, est une vision qui serre le cœur. Des arbres s'élancent depuis ce qui a été un rez-de-chaussée, des escaliers ouvrent sur le vide. Des noms sur les plaques de portes d'entrée condamnées. Où sont les gens qui ont vécu là, en quelle année ont-ils décidé de fuir des murs qui allaient s'écrouler sur eux ? On dirait que la dégradation de la ville avait été jugée naturelle, ou même que les instances dirigeantes, ayant décrété la « fin du temps » à l'instar de celle de l'Histoire, avaient nié son action d'usure, interdit toute réparation.

Signe visible du changement, la circulation intense ce matin – je me souviens des rues désertes de Berlin-Est à la même heure – sans Trabant, presque disparues. Quoi d'étonnant à ce que la voiture ait été le premier bien convoité, ne l'était-il pas aussi en France dans les années cinquante ? Les milieux intellectuels s'affligent de ce qu'ils appellent pour les autres « course aux biens de consommation » avec un mépris condescendant, comme s'ils s'en excluaient, comme s'ils n'avaient pas eux-mêmes une auto, une chaîne hi-fi, voire un ordinateur. Pourquoi le désir de posséder ces choses serait-il un « manque d'âme », un brutal matérialisme ici, et non là ? « Nous n'attachons pas d'importance à ces choses » disent-ils. Oui, mais ils les ont. Ce qu'on reproche aux gens qui se ruent sur les objets naguère inconnus ou rares, c'est d'exhiber collectivement, sans détours, une convoitise que chacun souhaite conserver secrète. Pour l'avoir vécu, je sais que désirer autre chose que les choses est un luxe.

Ce soir, dans une salle de l'université, chaleureuse, attentive, je me sentais émue et, plus que d'habitude en ces occasions, démunie devant l'attente diffuse de l'auditoire. En dehors de la manifestation d'un lien et d'une sympathie mutuelle entre deux pays que représente la venue à Leipzig d'un écrivain français, que peut apporter ce dernier, ici, maintenant ? J'ai l'impression de n'avoir pu offrir que ma *ressemblance,* je veux dire la ressemblance d'une déchirure et d'un passage entre deux mondes. Mon histoire d'enfant issue d'un milieu dominé, passée ensuite dans le milieu dominant, je la sentais proche de celle d'un peuple qui a désiré le passage à « l'Ouest », mais se trouve actuellement dans le désarroi, l'absence de repères du passage.

mardi 13 novembre

Soleil éclatant pour ces dernières heures à Leipzig. Au Musée – dont l'entrée est encore, par rapport au reste, d'un prix dérisoire – je vois le sombre, terrible tableau de Böcklin, *L'île des morts*, le lumineux *Les âges de la vie* de Friedrich – si complémentaires que leur présence dans un même lieu est troublante –, un Hans Baldung Grien, où le corps féminin, présenté de l'enfance à la vieillesse, est, dans sa blancheur de plus en plus étalée, déformée, l'image insoutenable du temps et de la mort.

Dans deux, cinq ou dix ans, je viendrai peut-être à Leipzig comme on va à Hambourg, à Vienne ou Copenhague : en touriste, sans appréhension ni questions. Je me promènerai dans des avenues où s'élèveront des immeubles neufs et clairs à la place des maisons du XIXᵉ siècle en ruines qu'on ne peut, paraît-il, sauver pour la plupart. Je retournerai voir Friedrich et Baldung. Mais c'est maintenant qu'il fallait venir, dans le temps sans nom entre deux équilibres. Venir et repartir sans aucune certitude.

DE L'AUTRE CÔTÉ DU SIÈCLE

Écrit en 1998, publié dans la *Nouvelle Revue française*,
juin 1999, n° 550

Elle portait le même prénom que l'héroïne
de *Une vie* de Maupassant. La sienne n'avait
intéressé personne pendant la plus grande partie du siècle, c'est seulement dans la dernière
décennie que son nom a été connu de tout le
monde : Jeanne Calment était le plus vieux
être humain vivant. Preuve de sa notoriété, des
histoires drôles circulaient à son sujet, genre
« Quel est le plus ancien félidé ? — La chatte
de Jeanne Calment ». Chacun de ses anniver-
saires était célébré comme un exploit. Invité
sur toutes les chaînes de télévision et les radios,
son médecin était questionné sur la forme et les
handicaps de sa championne et ses chances de
gagner l'an 2000. On la voyait fugitivement dans
sa maison de retraite, chevrotant quelques mots.
Beaucoup de gens lui écrivaient pour la féliciter
d'être « arrivée jusque-là » comme on le dit pour
les hautes fonctions et les diplômes prestigieux

– lui attribuant inconsciemment le projet lointain et tenace de devenir la doyenne de l'humanité, alors qu'elle avait dû accomplir dans la plus parfaite insouciance son destin génétique.

Sa vie, en tant que somme d'actes, de désirs et de souffrances, n'intéressait pas plus qu'avant. Elle ne suscitait pas le rêve comme celle de Lady Di, n'édifiait pas comme celle de mère Teresa. C'était, disait-on, la vie d'une bourgeoise nantie, plutôt oisive, peu chargée d'enfants. Seuls deux ou trois détails, monter à cheval, fumer le cigare et boire du porto, apportaient une pointe de romanesque. On pouvait imaginer Jeanne Calment en Emma Bovary donnant rendez-vous dans la forêt à un amant, chevaux attachés à un arbre et cravaches abandonnées sur l'herbe. Ou en « garçonne » de Paul et Victor Margueritte, le regard effronté derrière la fumée d'un havane lui arrondissant la bouche de façon suggestive. Mais tout cela était si loin, n'avait peut-être jamais eu lieu.

Elle n'avait rien à transmettre, ni œuvre artistique, ni idées, ni témoignage d'une expérience singulière, fût-elle scandaleuse. Elle n'avait même pas écrit de journal intime. Son message philosophique aurait tenu sur la pochette d'un 78 tours de Maurice Chevalier : « Dans la vie faut pas s'en faire. » Sa seule œuvre était une vie continuée au-delà de toute espérance.

Jeanne Calment était juste du temps, l'incarna-
tion même du temps.

Celui que nous n'avons pas vécu. Son existence plongeait jusqu'où ni notre mémoire, ni
celle de nos parents, ni même de nos grands-
parents, ne peuvent aller. Ses yeux avaient vu un
monde désormais irreprésentable pour nous. Elle
avait dix ans lors des funérailles de Victor Hugo,
vingt à l'affaire Dreyfus, c'était une femme mûre
lorsque les soldats de 14 sont partis la fleur au
fusil. Selon la formule habituelle, elle « aurait
pu connaître » Maupassant, Verlaine, Zola, et
Proust, Colette, Ravel, Modigliani, plus jeunes
qu'elle, morts depuis longtemps. On pouvait
promener la silhouette de cette petite femme
sans histoire, d'autant plus facilement qu'elle
était sans histoire, comme un marqueur sur
toutes les pages du siècle qu'elle avait traversé.
Indemne, sans presque de souvenirs, car celle
que l'on avait tendance à créditer de toute la
mémoire du siècle n'était plus qu'oubli, n'ayant
retenu comme événement historique notable que
l'assassinat de la famille du tsar en 1917. Elle
n'était que du temps pur, biologique, débarrassé
des horreurs et des bouleversements.

Depuis plusieurs siècles, l'Occident s'est habitué à mesurer la durée humaine à la nature, aux

rochers et aux arbres, à méditer sur les ruines et les ombres poudreuses qui les hantent. Chaque été des millions de touristes viennent retrouver les traces du passé dans les châteaux de la Loire et sur le pont du Gard. Mais rien n'est comparable à l'émotion que donne la vue d'un être vivant, d'un corps porteur d'un nombre inouï d'années. Jeanne Calment n'y voyait plus, n'entendait plus beaucoup et somnolait toute la journée comme les chats mais on voulait qu'elle tienne coûte que coûte. Nous voulions garder ce corps rétréci, parcheminé, mais qui était le même que celui de la petite fille courant dans les rues d'Arles dans les années 1880, ces yeux aveugles qui avaient vu un monde disparu pour toujours. Nous désirions que, déesse psychopompe du temps, elle nous accompagne de l'autre côté du siècle.

Jeanne Calment ne fera pas le grand écart entre le XIXᵉ et le XXIᵉ siècle. Elle est morte au mois d'août 1997, à 122 ans.

Bizarrement, il m'a semblé voir finir avec elle le XXᵉ siècle. J'ai senti celui-ci se fermer et se resserrer en une totalité achevée derrière nous. D'un seul coup, il est devenu ce qu'est le XIXᵉ siècle dans les livres d'histoire et les manuels de littérature, une durée rétractée où le Second Empire semble toucher le Premier, Chateaubriand être le contemporain de Zola et Madame de Staël l'amie de George Sand. Guerres mondiales, coloniales, idéologies, dûment répertoriées, écrivains classés, de Proust à Nathalie Sarraute, de Gide à Modiano. Je nous ai vus devenir, en quelques années, historiques, datés, des gens de l'autre siècle. *L'Été 42* et *L'Été 80* appartiendront au temps d'avant, à la Préhistoire. Pour faire bonne figure, la disparition des francs nous rendra rapidement anachroniques. Dire « je gagnais dix mille francs » suffira pour nous situer dans une époque révolue, comme ces nobles du XIXᵉ qui comptaient encore en écus. Dans les livres, il y aura des notes de bas de page pour expliquer la valeur des francs. Nous aurons le sentiment d'avoir été jeunes dans une autre galaxie.

J'ai senti s'achever quelque chose qui nous unissait tous, qui fait de nous des gens de ce siècle et ne sera pas transmissible au suivant, ni par les mots ni par les images. Pour reprendre l'expression de Sartre – « avec Malraux, quelque part, je fais époque » – tous, nés avant 1970 environ, ensemble nous faisons siècle. Par la mémoire, évidemment, du nazisme et du stalinisme, d'Auschwitz et d'Hiroshima, de la guerre d'Algérie, mais plus encore par la certitude que ces tragédies nous concernaient, que nous en étions comptables. Par cette impression – si rapides ont été les mutations de la société – d'avoir été enfants dans un roman de Giono et

d'être adultes dans un film de science-fiction.
Mais ce qui nous unit le plus, peut-être, ce sont
des sensations qu'on n'aurait jamais pensé défi-
nir puisqu'elles étaient notre façon de vivre à ce
moment-là. Cette lenteur et ce silence répan-
dus dans les années cinquante quand on vivait
encore dans la rareté des choses, cette parole
des années soixante-dix, jaillissant partout, dans
les classes, sur les murs, le débat comme mode
d'existence et ce sentiment de « monde nouveau » qu'on éprouvait le soir en Ardèche autour
d'un feu et d'un joueur de guitare tandis que les
enfants avaient le droit de tout faire. Et cette
dureté des années quatre-vingt, l'étrange accep-
tation de ce qui est, contenue dans le silence
replié qui accueille chaque jour dans le métro la
voix terrible de l'exclusion.

Bientôt des images et des mots, qui étaient
dans la tête de tout le monde, ne diront plus
rien à personne. On ne se souviendra pas, dans
l'autre siècle, de la blouse au lycée, des parfums Bourjois avec un J comme joie, de Johnny
Hallyday dans *D'où viens-tu Johnny ?*, des dia-
mants de Bokassa, des ortolans de Mitterrand,
des moutons du Larzac, de Gabrielle Russier, de
« je vous ai compris », « taisez-vous Elkabbach »,
« vous vous changez, changez de Kelton », de la
robe de Monica Lewinsky et du ciel blanc de
chaleur de l'été soixante-seize. On ne saura pas

ce qu'étaient le rutabaga, la SFIO, le cadeau Bonux, une faiseuse d'anges, *Pif Gadget*, une fille-mère et PPDA.

Personne ne se souviendra de Jeanne Calment.

J'aurai moi-même oublié ce qui m'a fait écrire tout cela, une sensation de dépossession, de vide entre deux siècles, celui qui se referme sur un pan de notre vie, et l'autre, immense, qui sera de façon certaine celui de ma mort.

LE CHAGRIN

Le Monde, 5 février 2002

La manière dont la mort de Pierre Bourdieu a été annoncée et commentée dans les médias, le 24 janvier, à la mi-journée, était instructive. Quelques minutes en fin de journal, insistance – comme s'il s'agissait de l'alliance incongrue, désormais impensable, de ces deux mots – sur « l'intellectuel engagé ». Par-dessus tout, le *ton* des journalistes révélait beaucoup : celui du respect éloigné, de l'hommage distant et convenu. À l'évidence, par-delà le ressentiment qu'ils avaient pu concevoir vis-à-vis de celui qui avait dénoncé les règles du jeu médiatique, Pierre Bourdieu n'était pas des leurs. Et le décalage apparaissait immense entre le discours entendu et la tristesse qui, au même moment, envahissait des milliers de gens, des chercheurs et des étudiants, des enseignants, mais aussi des hommes et des femmes de tous horizons, pour qui la découverte des travaux de Pierre Bourdieu a constitué un tournant dans leur perception du monde et dans leur vie.

Lire dans les années soixante-dix *Les Héritiers*, *La Reproduction*, plus tard *La Distinction*, c'était – c'est toujours – ressentir un choc ontologique violent. J'emploie à dessein ce terme d'ontologique : l'être qu'on croyait être n'est plus le même, la vision qu'on avait de soi et des autres dans la société se déchire, notre place, nos goûts, rien n'est plus naturel, allant de soi dans le fonctionnement des choses apparemment les plus ordinaires de la vie. Et pour peu qu'on soit issu soi-même des couches sociales dominées, l'accord intellectuel qu'on donne aux analyses rigoureuses de Bourdieu se double du sentiment de l'évidence *vécue*, de la véracité de la théorie en quelque sorte garantie par l'expérience : on ne peut, par exemple, refuser la réalité de la violence symbolique lorsque, soi et ses proches, on l'a subie.

Il m'est arrivé de comparer l'effet de ma première lecture de Bourdieu à celle du *Deuxième Sexe* de Simone de Beauvoir, quinze ans auparavant : l'irruption d'une prise de conscience sans retour, ici sur la condition des femmes, là sur la structure du monde social. Irruption douloureuse mais suivie d'une joie, d'une force particulières, d'un sentiment de délivrance, de solitude brisée. Et cela me reste un mystère et une tristesse que l'œuvre de Bourdieu, synonyme pour moi de libération et de « raisons d'agir » dans le monde, ait pu être perçue comme une soumission aux déterminismes sociaux. Il m'a toujours semblé au contraire que, mettant au jour les mécanismes cachés de la reproduction sociale, en objectivant les croyances et processus de domination intériorisés par les individus à leur insu, la sociologie critique de Bourdieu défatalise l'existence. En analysant les conditions de production des œuvres littéraires et artistiques, les champs de luttes dans lesquels elles surgissent, Bourdieu ne détruit pas l'art, ne le réduit pas, il le désacralise simplement, il en fait ce qui est beaucoup mieux qu'une religion, une activité humaine complexe. Et les textes de Bourdieu ont été pour moi un encouragement à persévérer dans mon entreprise d'écriture, à dire, entre autres, ce qu'il nommait le refoulé social.

Le refus opposé, avec une extrême violence parfois, à la sociologie de Pierre Bourdieu vient, me semble-t-il, de sa méthode et du langage qui lui est lié. Venu de la philosophie, Bourdieu a rompu avec le maniement abstrait des concepts qui la fonde, le beau, le bien, la liberté, la société, et donné à ceux-ci des contenus étudiés concrètement, scientifiquement. Il a dévoilé ce que signifiaient *dans la réalité* le beau quand on est agriculteur ou professeur, la liberté si l'on

habite la cité des 3000, expliqué pourquoi
les individus s'excluent eux-mêmes de ce qui,
de façon occulte, les exclut de toute façon.
Comme dans la philosophie et, le meilleur des
cas, la littérature, c'est encore et toujours de la
condition humaine qu'il s'agit, mais non d'un
homme en général, des individus tels qu'ils sont
inscrits dans le monde social. Et si un discours
abstrait, au-dessus des choses, ou prophétique,
ne dérange personne, il n'en est pas de même
dès lors qu'on donne le pourcentage écrasant
d'enfants issus de milieux dominants intellec-
tuellement ou économiquement dans les grandes
écoles, qu'on révèle de manière rigoureuse les
stratégies du pouvoir, ici et maintenant aussi
bien chez les universitaires (*Homo academicus*)
que dans les médias. Question de langage, subs-
tituer, par exemple, à « milieux, gens, modestes »
et « couches supérieures » les termes de « domi-
nés » et « dominants », c'est changer tout : à la
place d'une expression euphémisée et quasi naturelle des hiérarchies, c'est faire apparaître la
réalité objective des rapports sociaux. Le travail
de Bourdieu, acharné comme Pascal à détruire
les apparences, à rendre manifeste le jeu, l'illusion, l'imaginaire social, ne pouvait que rencon-
trer des résistances dans la mesure où il contient
des ferments de subversion, où il débouche sur
une transformation du monde, dont l'ouvrage

qu'il a dirigé avec son équipe de chercheurs, le plus connu, montre la misère.

Si, avec la mort de Sartre, j'ai pu avoir le sentiment que quelque chose était achevé, intégré, que ses idées ne seraient plus actives, qu'il basculait dans l'Histoire, il n'en va pas de même avec Pierre Bourdieu. Si nous sommes tant à éprouver le chagrin de sa perte – j'ose, ce que je fais rarement, dire « nous », en raison de l'onde fraternelle qui s'est propagée spontanément à l'annonce de sa mort – nous sommes aussi nombreux à penser que l'influence de ses découvertes et de ses concepts, de ses ouvrages ne va cesser de s'étendre. Comme ce fut le cas pour Jean-Jacques Rousseau, dont je ne sais plus qui, en son temps, disait avec réprobation que son écriture rendait le pauvre fier.

L'HOMME DE LA POSTE, À C.

Écrit en septembre 2002, publié en 2003
dans *Nouvelles à coucher dehors*, Julliard

J'ai d'abord pensé que j'écrirais sur C. G. dont j'ai retrouvé la semaine dernière l'adresse sur le Minitel, la regardant avec stupeur, comme s'il était invraisemblable qu'il soit toujours vivant, à Pontarlier précisément.

J'ai commencé d'écrire, mais l'image d'un autre homme venait s'interposer et arrêter mon récit. C'est de cet homme-là que je devais parler.

Il est apparu quelques mois après l'ouverture de la nouvelle poste, blanche et verte, avec une placette fleurie et sept places de parking par-devant. L'évaluant instantanément en fonction de critères qu'on n'applique qu'à ceux qui ne semblent pas faire partie de la société normale, j'ai remarqué sa figure rasée, sa mine avenante sans traces d'alcool, ses vêtements propres. Guère plus de trente-cinq ans.

Il se tenait debout près de la porte vitrée. Dès

que quelqu'un se présentait, jeune ou vieux, homme ou femme, avec ou sans poussette d'enfant, chien en laisse – bien que ce soit interdit par le règlement –, il ouvrait la porte toute grande avec vélocité et la refermait derrière la personne, plus posément. Le bureau de poste est petit, une annexe de la Poste Principale, fermé entre midi et trois heures, avec seulement deux guichets, dont le plus souvent un seul est ouvert, mais il y a toujours du passage, surtout en fin d'après-midi et le samedi matin. C'est un bon endroit, meilleur que les églises et les grands magasins, parce que les gens ont presque toujours de la monnaie sur eux en ressortant, que vient de leur rendre la postière ou la machine à affranchir le courrier.

À quelque heure que je vienne, il était là, aussi ponctuel que les employés de la poste, même plus qu'eux, qui relèvent le rideau de fer du bureau généralement avec deux ou trois minutes de retard. Il déployait dans l'ouverture de la porte un zèle et une énergie que les grooms et les liftiers des hôtels de luxe ne manifestent jamais – qu'il leur est inutile de manifester, puisqu'ils sont là seulement pour signifier au client son importance sociale, au même titre que le tapis rouge et les orchidées dans les vases. Au début, il m'a semblé qu'il recevait pas mal de pièces en échange de son geste. Il remerciait sans excès, d'une façon neutre, en contraste avec l'empressement presque violent de son corps.

Un jour, sans doute parce que je trouvais qu'il ne faisait pas ce qu'il était, je me suis arrêtée pour lui parler. J'ai dû lui demander s'il n'avait pas d'autres ressources, s'il était inscrit à l'ANPE ou s'il était allé à la Mairie, située justement à vingt mètres. Il a baissé les yeux et bafouillé sans répondre. J'ai repris ma voiture en estimant que j'aurais mieux fait de ne rien dire, ou quelque chose comme « il y a du soleil aujourd'hui ».

Je ne lui ai plus reparlé, je me contentais de lui dire bonjour. Il ne semblait pas me tenir rigueur de mes questions intrusives et, pour ne pas démériter de la sympathie que je semblais lui inspirer davantage depuis ce jour-là, je lui donnais souvent une pièce. Dès que je sortais de ma voiture, je sentais son regard et son espérance. Mais il m'arrive souvent de ne pas pénétrer dans le bureau de poste, de glisser seulement des lettres dans la boîte extérieure, à gauche de la porte, ou bien de tirer de l'argent au distributeur, à droite. Dans ce cas-là, puisque je n'avais pas traversé son territoire, je décidais de ne rien lui donner. Je sentais qu'il suivait mes pas, mes mouvements, son attente m'enveloppait, la même sans doute qui m'envahit dans un salon du livre quand un promeneur passe devant la table où je signe mes livres et que je ne sais pas s'il va s'arrêter. Je m'éloignais en évitant de le regarder. D'une certaine manière, plus j'éprouvais son attente, plus j'étais résolue à la décevoir. Le plus gênant était de tirer des billets au distributeur – dont il devait connaître par cœur chacun des bruits qui accompagnent les différentes phases de retrait d'argent – et de les enfourner dans mon sac à deux mètres de lui. J'ai toujours repoussé l'idée de lui en donner un, comme s'il y avait une règle de rétribution implicite à respecter et qu'en l'enfreignant il allait croire que j'étais très riche, que je m'apprêtais à lui faire le même don régulièrement, à l'entretenir en somme.

Il était prévisible que les usagers de la poste, comprenant qu'il était installé là pour une durée indéterminée, se fatiguent de donner. Dans un monde où tout change, où les rayons des hypermarchés sont bouleversés de fond en comble toutes les semaines, où un candidat chasse l'autre aux jeux télévisés, voir toujours le même type en faction à la poste est lassant. Ne lui ayant aucun gré de son zèle, on a fini par s'irriter d'un geste dont on n'avait pas besoin, qu'on ne considérait évidemment pas comme une marque de déférence mais comme l'obligation de filer une pièce en retour. Même les mères encombrées d'enfants et de paquets devaient estimer qu'elles se seraient bien débrouillées sans lui. On aurait trouvé plus logique qu'il soit payé par les PTT. Beaucoup franchissaient la porte tirée devant eux sans un mot ni un regard, comme s'il n'y avait personne, que ce soit une ouverture automatique pareille qu'à Auchan. Quelquefois, en garant ma voiture sur le parking, j'espérais qu'il ne serait pas là.

Au fil des mois, il a perdu de son énergie, tirant la porte avec nonchalance, en regardant ailleurs au passage des gens, donnant l'impression de ne pas vouloir s'impliquer dans une activité qui lui était imposée par le hasard de la vie. Une fois je me suis rappelé que, de la même façon, quand j'étais élève, je détournais la tête en ouvrant la porte de la classe à un professeur, par détestation de ce geste auquel l'école religieuse nous contraignait.

Un jour, j'ai été frappée du changement qui s'était opéré dans toute sa personne. Quelque chose d'hirsute et d'avachi. Des bouffissures au visage, d'alcool ai-je interprété aussitôt. La visibilité des signes révélait que le processus était depuis longtemps en marche, peut-être depuis son arrivée à la poste.

Je ne sais plus quand il a renoncé à sa fonction de portier bénévole, au simulacre d'échange. Peut-être à l'été de l'année dernière, au moment où les employées de la poste commencent à laisser la porte du bureau ouverte à deux battants toute la journée à cause de la chaleur et de l'absence de climatisation. Il restait simplement adossé au mur, côté distributeur, le gobelet à la main, sa figure couverte de barbe inclinée vers la poitrine. Ses vêtements sentaient. L'homme du début, jeune et dynamique, dans son K-way impeccable, n'était plus qu'un souvenir.

Quelquefois, il avait bougé de place, fumait une cigarette un peu plus loin sur la placette, le gobelet abandonné à sa place. Il arrivait qu'un homme s'arrête pour lui parler, qui semblait le connaître. Jamais une femme. Peut-être par un éloignement instinctif de l'homme déchu, la résurgence de l'ancienne crainte, « tirer le mauvais numéro » dont le clochard est l'ultime figure. Je ne pouvais pas le regarder ni passer près de lui en oubliant qu'il avait un corps d'homme, un sexe d'homme. Aucune femme, peut-être, ne peut, même pas Sœur Emmanuelle.

Depuis ce printemps, il se tient habituellement assis le dos au mur de la poste, les jambes croisées et allongées devant lui. La première fois

que je l'ai vu ainsi, j'ai failli lui enjoindre vio-
lemment de se mettre debout. Sans doute des
choses d'enfance qui me revenaient. Puis j'ai
convenu qu'il n'avait aucune obligation de se
fatiguer.

Un après-midi de juin dernier, alors qu'il y
avait une longue file d'attente dans le bureau de
poste, il est venu se coller contre l'un des battants
de la porte vitrée. Il est resté là, immobile, fixant
l'intérieur de la poste avec intensité. Il paraissait
immense, sa grande carcasse emplissait la vitre.
J'ai pensé à Charles Bronson dans *Il était une fois
dans l'Ouest*. Tous les usagers le regardaient. La
stupéfaction, une sorte d'inquiétude, étaient per-
ceptibles. À un moment, la postière a levé la tête
et l'a aperçu. Elle s'est exclamée à l'adresse de
la file d'attente, en désignant l'homme dehors,
« il faut que je donne au monsieur son argent.
Il n'a pas le droit de rentrer à l'intérieur ». Il y
a eu un soulagement, comme si un danger avait
été écarté, que la vie reprenne son cours nor-
mal. Après j'ai constaté que je n'avais pas songé
un seul instant à protester contre l'interdiction
d'entrer faite à l'homme, sans doute parce que
je sentais que tout le monde la trouvait légitime.
J'ai supposé qu'il était venu chercher son RMI.

Ce mois-ci, comme d'habitude, je suis allée plusieurs fois à la poste. L'homme n'y était plus. Je croyais qu'il était parti dans le Sud, parce que presque tout le monde est en vacances. Hier, en remontant en voiture la rue Nationale, je l'ai vu assis sur le trottoir devant la boulangerie, les jambes ramenées contre son ventre. J'ai pensé que c'était moins confortable pour lui qu'à la poste, à cause de l'étroitesse du trottoir et du ballet asphyxiant des autos qui se garent et repartent aussitôt, le temps d'acheter une baguette. Ensuite, que c'était aussi un signe d'adaptation à la réalité du marché de délaisser la poste, déserte actuellement, pour l'unique boulangerie ouverte au mois d'août. C'est même une meilleure localisation, à cause du vieux réflexe de partage que suscite le pain. Il gère au mieux sa misère.

Quand on écrit sur les gens qui existent, qui continuent de vivre au moment où l'on écrit, il n'y a pas de fin. Plus exactement il ne peut pas y en avoir tant qu'on ne fait qu'écrire, rien d'autre.

Maintenant je me demande pourquoi je n'ai pas plutôt raconté la nuit d'août avec C. G., dans la mémoire de qui je ne figure sans doute plus depuis longtemps. Pourquoi cet homme a pris la place et qu'il m'a paru plus nécessaire d'écrire sur lui. Peut-être justement à cause de la question de l'écriture, du rapport qu'elle a avec le monde réel. De ma honte de donner des mots comme on donne des pièces, de loin. À cause de l'amour aussi.

LA FÊTE

Écrit en mai 2006,
publié dans *Le Monde*, 14 octobre 2006

Le rendez-vous du pré-wedding était à midi, dans un pub, à Balham.

On a pris un taxi qui nous a déposés le long d'un mur gris, à la sortie d'un pont. Il faisait déjà très chaud. Le pub était de l'autre côté du pont, toutes les fenêtres ouvertes, à l'intérieur des gens debout, ou assis à des tables. On est entrés, indécis, puis Marc m'a entraînée par la main vers une fille qui s'avançait, petite et charnue, cheveux longs blond-roux, en pull et baggy. Ils se sont étreints. C'était Alison. Il nous a présentées l'une à l'autre. Il y a eu ensuite Stephen, qu'Alison allait épouser à la Jamaïque dans quinze jours, avec une queue-de-cheval grise et noire, un couple sévère – le frère aîné de Stephen et sa femme –, Akbar, qui avait été l'amant d'Alison juste avant Stephen, des amis et collègues de travail. C'était difficile de retenir les noms. Marc a offert à Alison le stylo que nous lui avions acheté comme cadeau de mariage. On s'est peu à peu installés tous aux tables. Je ne comprenais pas bien ce qui se disait. Seule Alison parlait français parce qu'elle avait travaillé chez Disney à Marne-la-Vallée. Marc l'avait connue là.

On a passé du temps à boire des cocas et des bières. Quelqu'un a renversé ma bouteille de Perrier, elle est tombée du côté d'Alison en l'éclaboussant. On ne savait pas ce qu'on attendait, peut-être d'autres gens encore – si la fête avait lieu là ou ailleurs. Pour m'occuper, je suis allée aux toilettes au fond du pub, après le bar. Les cris d'un match diffusé à pleins tubes m'ont accueillie au moment où je franchissais la porte, un type en train de pisser a tourné la tête en me voyant. Je me suis rendu compte que j'étais entrée chez les hommes par erreur et je suis ressortie en vitesse, vers chez les ladies. On est restés encore dans le pub puis le signal du départ a été donné, je ne sais qui a payé les consommations, et on s'est mis en route derrière Stephen et son frère, en file indienne sur le trottoir. La troupe a fait halte dans une boutique de boissons. Les hommes se sont chargés de glacières remplies de canettes de bières, de sodas et de bouteilles de vin et on s'est remis à marcher sous la chaleur dans une rue qui longeait des maisons avec jardin. Je commençais d'avoir les pieds gonflés dans mes chaussures. À un tournant, deux hommes et une femme blonde avec de grosses lunettes noires se sont joints à nous. La femme a avancé une main incertaine quand j'ai tendu la mienne.

On s'est tous remis en marche et l'on est arrivés devant une grande étendue d'herbe étincelante, bordée d'arbres et de taillis. D'une voiture garée sur la route, le frère de Stephen et sa femme ont sorti une table de camping, des sacs de sandwiches et de pâtisseries industrielles, des assiettes et des verres en carton. Les glacières ont été ouvertes. Stephen a planté dans l'herbe un swingball. La fête avait lieu là.

Alison nous a montré au loin, dans le fond du parc, des maisons colorées, avenantes dans le soleil. Stephen et elle venaient d'acheter celle aux volets bleus, mais seulement le rez-de-chaussée en raison des prix, à Londres.

Les invités sont venus chercher à manger et à boire puis se sont assis dans l'herbe ou au pied des arbres par petits groupes. J'ai regretté de m'être habillée en jupe. La femme aux lunettes noires ne s'était pas déplacée, appuyée contre un arbre auprès de ses compagnons, son visage blanc, sans expression, tourné vers le parc. J'ai pensé qu'elle était aveugle.

L'affairement du pique-nique s'est dissipé. L'après-midi passait doucement. Les voix se diluaient dans l'air. Plusieurs invités s'étaient allongés dans l'herbe, la tête posée sur un pull roulé en boule, un sac à dos. De temps en temps, Stephen et Akbar, d'autres, se levaient et s'affrontaient au swingball. Je m'y suis mise aussi avec Marc, j'ai perdu. On a joué aussi au frisbee mais il faisait trop chaud pour courir l'attraper. Je ne me sentais ni heureuse ni malheureuse.

Akbar est venu s'accroupir à côté de moi et il a commencé à parler de choses philosophiques avec animation. Il croyait sans doute que j'aimais seulement les conversations intellectuelles. Je comprenais son anglais mais lui répondre me fatiguait. Je me disais qu'il allait redevenir l'amant d'Alison quand elle serait mariée à Stephen. Quelqu'un l'a appelé et il m'a quittée. Je me suis aperçue que Marc n'était plus là. J'ai cherché où était Alison, elle n'était pas là non plus.

J'ai changé de place et je me suis rapprochée d'un groupe de filles d'une vingtaine d'années, l'une d'elles téléphonait en riant sans s'occuper de ses voisines. Je regardais la maison d'Alison, là-bas, l'étendue d'herbe scintillante qui m'en séparait. Ils y étaient tous les deux seuls. Je les voyais en train de faire l'amour, parce que c'était un jour spécial pour elle, celui de son pré-wedding, et qu'elle serait mariée dans quinze jours. J'aurais voulu ne pas être là. Il me semblait égal de mourir.

De loin je les ai vus revenir côte à côte dans l'herbe, la maison ensoleillée derrière eux. Ils avaient la tête baissée, peut-être à cause du soleil. J'ai pensé, c'est seulement dans les romans qu'un homme et une femme portent sur eux les signes de leur duplicité. Je croyais que tout le monde les observait en train de revenir ensemble mais personne ne semblait faire attention à eux. Je ne pouvais pas déterminer depuis combien de temps ils étaient partis.

Ils se sont séparés près du swingball et il est venu me retrouver. Il m'a expliqué avec enjouement qu'Alison lui avait offert de lui montrer sa maison, une maison étonnante, beaucoup de charme. Il n'avait pas d'air particulier. Il m'a appris que la femme blonde aux lunettes noires n'était pas aveugle, elle était schizophrène. Plus tard, Alison a proposé à celles qui en avaient besoin d'utiliser les toilettes de chez elle. J'ai refusé l'offre malgré mon envie de voir la maison. Elle a emmené trois filles, je les ai regardées s'éloigner sur la pelouse en pensant que j'avais tort de ne pas les accompagner.

Il n'y avait plus rien de frais à boire. Depuis longtemps on ne jouait plus au swingball. À un

moment la fin de la fête est devenue évidente.
Des invités ont commencé de s'en aller. Le frère
de Stephen a démonté la table et le swingball,
rangé les glacières dans la voiture et il est parti
avec sa femme. Je ne savais pas ce que Marc
voulait faire. Alison est venue lui dire quelque
chose. Il s'est tourné vers moi, il m'a demandé si
ça me convenait de continuer la fête chez Alison
et Stephen, avec les amis intimes. Il m'a semblé
que je devais en passer par là aussi. J'ai commencé d'être anxieuse.

On a traversé la pelouse en ordre dispersé,
Marc et moi les derniers à cause de mon mal aux
pieds. Le soleil s'était éteint sur les façades des
maisons, de plus en plus visibles. Il y avait un
petit jardin devant celle d'Alison. Du dehors on
a senti l'odeur du cannabis. On est entrés dans
un couloir longeant un mur nu sur la gauche,
sur la droite des portes fermées. Tout le monde
s'était déjà rassemblé dans la cuisine, au fond,
Stephen, Akbar, quelques personnes du pique-
nique, la femme schizophrène. Elle n'avait plus
ses lunettes, ses yeux étaient d'un bleu délavé.
Je lui ai adressé un sourire, son visage n'a pas
bougé. Je ne savais pas ce qu'on allait faire ici.

Stephen m'a fait signe de le suivre et il m'a
emmenée dans la pièce du devant, un salon-
discothèque, il m'a montré le canapé et il est
ressorti. Je croyais que les autres allaient arriver,

qu'on écouterait de la musique. J'ai remarqué une webcam, j'ai pensé qu'Alison et Stephen filmaient leurs parties de cul. J'étais dans le canapé, je me demandais pourquoi on me laissait seule.

La porte s'est ouverte, Marc a passé la tête, joyeux, « Alison aimerait qu'on parle d'écriture, viens avec nous dans son bureau ». Je l'ai suivi dans une minuscule pièce, avec une table, un ordinateur, des papiers. Alison était assise en train de fumer. On s'est casés tous les trois dans l'espace réduit, les jambes se touchaient presque. Je les voyais de profil. Elle a dit qu'elle avait mis deux nouvelles sur un site Internet, elle attendait le jugement des internautes pour continuer d'écrire. Elle avait la tête penchée, les yeux baissés sur son baggy, dans une posture de gravité religieuse. Marc paraissait aux anges. Ils se passaient un joint dont ils tiraient une bouffée à tour de rôle. J'avais envie de les battre de toutes mes forces. Le cœur me cognait et j'étais oppressée.

Je me suis levée, j'ai dit qu'il me fallait de l'air. Ils m'ont regardée lointainement, il dit « Ça va aller, tu es sûre ? ». Je les ai quittés et je me suis assise au-dehors, dans le haut des marches devant la porte.

Il faisait encore jour. De l'autre côté de la rue, il y avait un banc de jardin public en lattes de bois, tourné vers la pelouse où l'on avait pique-niqué l'après-midi. M'y coucher représentait une sorte de salut mais je ne pouvais pas franchir l'espace qui m'en séparait. Il me semblait que je n'avais jamais autant désiré un objet maté-riel que ce banc. J'entendais des voix, de vagues allées et venues dans le couloir derrière la porte fermée. Je me sentais dans un état ancien, de répétition d'autres fêtes, quelque chose qui était la sensation première de ma vie.

Mon cœur battait de plus en plus. Personne ne sortait. Je me sentais la capacité de frapper tout le monde. J'ai attendu encore puis je suis rentrée. J'ai croisé Akbar, l'air stone. Dans le bureau Marc et Alison étaient restés à la même place, ils m'ont regardée avec étonnement, ou peur. Ils ne fumaient plus. J'ai dit que je me sentais mal et que je devais m'allonger. Elle a proposé que j'aille dans sa chambre, à côté.

La pièce était dans le noir, les rideaux tirés. J'ai enlevé mes chaussures pour m'étendre sur le dessus-de-lit. Quelques minutes après, Marc est entré, il s'est assis près de mes jambes et il a commencé de me caresser. Sous l'effet du can-nabis, il était d'une douceur encore plus grande que d'habitude. Il m'a demandé, « est-ce que

tu me hais ? » Je lui ai répondu que non, j'avais
seulement envie de les taper tous. Il a ri et nous
avons entrepris d'aller au bout sans nous désha-
biller. De temps en temps la porte s'ouvrait bru-
talement et se refermait précautionneusement,
on devait se tromper avec la salle de bains. Ce
n'était pas dérangeant, je détachais provisoire-
ment ma bouche de son sexe. Des trottinements
d'enfant parcouraient le plafond. Le lit d'Alison
était moelleux. C'était un très bon moment, ce
qu'il y avait de mieux à faire ici. Je me purgeais
de ma violence. Nous avons joui et je suis rede-
venue tranquille.

Les autres étaient à nouveau tous dans la cuisine, mous, mais on ne sentait plus tellement
l'intérêt de rester. Alison nous a commandé un
mini-cab, moins cher qu'un taxi. Elle nous a
raccompagnés jusqu'à la rue, je l'ai embrassée,
Marc après.

Le mini-cab nous a déposés dans Covent
Garden, pour boire un pot. Il y avait une foule
étourdissante de gens avec des chopes de bière
à la main, sur les trottoirs devant les pubs, de
la musique, d'un seul coup j'ai réalisé qu'on
était samedi. Depuis le matin je m'étais crue
dimanche. On est descendus par un escalier de
bois dans la cour d'un café rempli de monde,
une table s'est juste libérée et Marc est allé

chercher du vin blanc au comptoir. À la table
d'à côté, une Japonaise dormait affalée sur les
genoux de sa voisine, ivre morte. Il a rapporté
deux verres de mâcon et l'on a bu doucement
dans le bruit. Je lui ai demandé s'il avait l'adresse
du site où je pourrais lire les nouvelles d'Alison.
Il a dit que c'était quelque chose comme *erotica
literature*. Les touristes japonais ont entrepris de
partir, deux garçons ont soulevé la fille endormie
par les aisselles et l'ont hissée dans l'escalier. Ses
jambes pendaient et ses chaussures heurtaient
chaque marche, comme une poupée de son.

Je me suis tournée vers lui, avec honte et
désespoir : « Est-ce que tu as déjà couché avec
Alison ? » Il a hoché la tête : « Tu es folle. »

Composition Nord Compo
Achevé d'imprimer par Novoprint,
à Barcelone, le 20 septembre 2021.
Dépôt légal : septembre 2021.
1ᵉʳ dépôt légal dans la collection : février 2020.

ISBN 978-2-07-288441-2./Imprimé en Espagne.

431551